Joel Calvo Casas
Élise Ross-Nadié

Rosas silvestres ibéricas

Guía de identificación

CONSEJO SUPERIOR DE INVESTIGACIONES CIENTÍFICAS

Madrid, 2016

Catálogo general de publicaciones oficiales:
http://publicacionesoficiales.boe.es

Editorial CSIC: *http://editorial.csic.es* (correo: *publ@csic.es*)

© CSIC
© Joel Calvo Casas y Élise Ross-Nadié
© De la ilustración de cubierta, Rodolf Casas Ferrer

ISBN: 978-84-00-10051-3
e-ISBN: 978-84-00-10052-0
NIPO: 723-16-029-0
e-NIPO: 723-16-030-3
Depósito Legal: M-7531-2016
Maquetación y diseño gráfico: Élise Ross-Nadié y Joel Calvo Casas
Impresión y encuadernación: Imprenta ROAL, S.L.
Impreso en España. *Printed in Spain*

En esta edición se ha utilizado papel ecológico sometido a un proceso de blanqueado FSC, cuya fibra procede de bosques gestionados de forma sostenible.

Rosas silvestres ibéricas
Guía de identificación

Cinco pétalos

L A guía que presentamos es fruto de una iniciativa de la
Rosaleda de Madrid, situada en el parque del Oeste. Es la
culminación de un proyecto de recolección que se realizó en
años anteriores con el fin de obtener una colección viva de las
rosas silvestres ibéricas. Además de ofrecer al público una
colección de estas características, valiosa por su exclusividad,
con esta guía se pretende que el visitante pueda identificar las
rosas silvestres con una herramienta accesible y de fácil uso.
Asimismo, pretendemos que el interesado se adentre en el
mundo de las rosas de cinco pétalos, aquellas que pueblan los
montes de la Península Ibérica.

El género *Rosa* está formado por unas cien especies,
mayoritariamente distribuidas por las regiones templadas del
hemisferio norte. Según los últimos estudios que se han hecho
del grupo se reconocen treinta especies en la Península, veinti-
siete de ellas autóctonas. Es un género de gran complejidad
taxonómica, siendo frecuente encontrar plantas difíciles de
asignar a una especie u otra. La problemática en su delimitación
estriba, en parte, en que es un grupo de plantas con un alto
índice de hibridación. En la Península los grupos más complejos
son el de *R. canina* y *R. dumalis*. Para resolver su taxonomía y
poder ofrecer herramientas de determinación prácticas a los
usuarios, se ha recurrido a la consideración de microespecies.

Aunque las rosas destacan por su importancia en el ámbito
económico, profusamente domesticadas y seleccionadas desde
antaño, cabe mencionar el papel que juegan en la cadena trófica
de muchos animales. Sus frutos, conocidos vulgarmente como
escaramujos, constituyen una fuente notable de nutrientes en

otoño, cuando los recursos son más escasos y resultan imprescindibles para afrontar el invierno. El ser humano, por su parte, también ha sabido aprovecharse de esta fuente vitamínica preparando con ellos mermeladas y jarabes. En el mundo de la cosmética, es conocido el uso de algunas rosas para obtener aceites esenciales, aguas depurativas y colonias.

Esta guía, destinada tanto al principiante como al avezado en las plantas, ofrece tres herramientas prácticas de identificación y una ficha para cada especie de rosa. Estas herramientas (estructura general de las rosas, clave dicotómica y glosario) están pensadas para interpretar y entender cada ficha. Las fichas incluyen fotografías para comprender fácilmente los caracteres que definen cada rosa, además de su caracterización, datos de ecología y curiosidades. La clave dicotómica es una herramienta de identificación que ofrece dos posibilidades; según la presencia o ausencia de un determinado carácter en la rosa estudiada, el usuario pasará al siguiente paso y repitiéndose el principio de esta contraposición, se podrá identificar la rosa en cuestión.

La guía que estamos presentando ha sido posible gracias a Inés Sabanés Nadal (delegada del Área de Gobierno de Medio Ambiente y Movilidad), Nuria Bautista Carrascosa (directora general de Gestión del Agua y Zonas Verdes), Santiago Soria Carreras (subdirector general de Parques y Viveros), Rosa Fernández Fontanet (Sección de Producción Vegetal), Miguel Ángel García Martínez (encargado de la Rosaleda de Madrid) y Silvia Villegas Navarro (jefa de la Unidad de Horticultura del Real Jardín Botánico). La impresión de la guía ha corrido a cargo del Real Jardín Botánico (CSIC), por lo que estamos más que agradecidos. Por último, queremos destacar el apoyo icondicional que hemos recibido del proyecto *Flora iberica*.

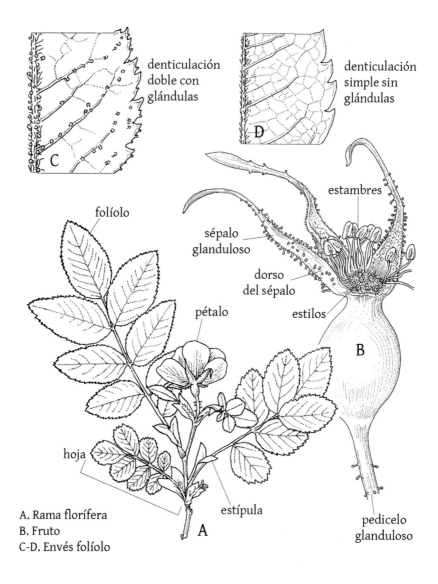

Estructura general de las rosas

denticulación doble con glándulas

C

denticulación simple sin glándulas

D

folíolo

estambres

sépalo glanduloso

dorso del sépalo

pétalo

estilos

B

hoja

A. Rama florífera
B. Fruto
C-D. Envés folíolo

estípula

A

pedicelo glanduloso

Clave dicotómica

1. Pétalos amarillos .... *R. foetida*

- Pétalos blancos o rosados 2

2. Arbusto sin acúleos o solamente en la mitad inferior de las ramas .... *R. pendulina*

- Arbusto con acúleos en toda la superficie de las ramas 3

3. Arbusto, generalmente humilde, con estolones subterráneos que suele formar densas colonias 4

- Arbusto, generalmente alto, sin estolones subterráneos 6

4. Folíolos con indumento en ambas caras .... *R. villosa*

- Folíolos sin indumento, o con algunos pelos dispersos en el envés 5

5. Acúleos densos, finos y rectos; pedicelos generalmente más largos o igual que el fruto .... *R. pimpinellifolia*

- Acúleos separados, curvos; pedicelos más cortos que el fruto .... *R. sicula*

6. Envés de los folíolos con glándulas en toda la superficie 7

- Envés de los folíolos sin glándulas o con glándulas solamente en el margen y nervio medio 12

7. Folíolos con indumento tomentoso en ambas caras, más denso en el envés, que suele ocultar las glándulas 8

- Folíolos con el haz glabro y envés glabro o con pelos araneosos ± dispersos, que no ocultan las glándulas 9

8. Sépalos enteros o con pocos lóbulos marginales; pedicelos más cortos que el fruto .... *R. villosa*

- Sépalos con abundantes lóbulos marginales; pedicelos más largos o igual que el fruto .... *R. tomentosa*

9. Sépalos patentes o erectos en la madurez del fruto, generalmente persistentes 10

- Sépalos reflejos en la madurez del fruto, generalmente caedizos 11

10. Sépalos con el dorso glanduloso; pedicelos generalmente glandulosos ....

.... *R. rubiginosa*

- Sépalos con el dorso sin glándulas; pedicelos sin glándulas .... *R. elliptica*

11. Sépalos con el dorso glanduloso; pedicelos glandulosos .... *R. micrantha*

- Sépalos con el dorso sin glándulas; pedicelos sin glándulas .... *R. agrestis*

12. Estilos largos, formando una columna conspicua 13

- Estilos cortos, libres o formando una columna inconspicua 16

13. Hojas ± coriáceas, lustrosas, perennes .... *R. sempervirens*

- Hojas no coriáceas, poco o no lustrosas, caducas o perennes 14

14. Sépalos con abundantes lóbulos marginales; pedicelos sin glándulas; arbusto ± erecto .... *R. stylosa*

- Sépalos enteros o con pocos lóbulos marginales; pedicelos generalmente con glándulas; arbusto ± decumbente o lianoide 15

15. Hojas perennes; folíolos lanceolados, netamente acuminados .... *R. moschata*

- Hojas caducas; folíolos elípticos u obovados, de obtusos a ligeramente acuminados ....

.... *R. arvensis*

16. Tallos jóvenes con acúleos heterogéneos y acículas .... *R. gallica*

- Tallos jóvenes con acúleos homogéneos, sin acículas 17

17. Sépalos reflejos en la madurez del fruto, generalmente caedizos 18

- Sépalos erectos o patentes en la madurez del fruto, generalmente persistentes 19

18. Folíolos con glándulas en el margen y nervio medio, más abundantes en el margen del tercio inferior de la lámina .... *R. pouzinii*

- Folíolos sin glándulas o algunas dispersas en el margen .... *R. gr. canina*

19. Sépalos enteros o subenteros, estrechos .... *R. glauca*

- Sépalos con abundantes lóbulos marginales, anchos 20

20. Folíolos con abundantes glándulas en el margen .... *R. tomentosa*

- Folíolos sin glándulas o algunas dispersas en el margen .... *R. gr. dumalis*

Se conocen 30 especies de rosas silvestres en la Península Ibérica

Fichas de identificación

Rosa acharii L.

¿Cómo identificarla?

- Hojas glabras.
- Folíolos con denticulación doble.
- Sépalos con lóbulos marginales, glandulosos en el dorso, erectos o patentes en el fruto.
- Pedicelos glandulosos.
- Microespecie del grupo *R. dumalis*.
- Muy parecida a *R. caballicensis*, de la que difiere por su denticulación doble.

Ecología

Orlas de bosque y prados de alta montaña.

Curiosidades

El botánico sueco G. J. Billberg le dedicó esta rosa a E. Acharius, pupilo de C. Linneo y especialista en líquenes. En la Península solo se conoce del Pirineo de Huesca y Lleida.

Flor - Panticosa (Huesca)

A. Haz, denticulación doble; B. Pedicelo glanduloso; C. Envés glabro; D. Sépalos patentes en el fruto - Panticosa (Huesca)

Rosa agrestis Savi

 ¿Cómo identificarla?

- Hojas con el haz glabro (a veces ligeramente peloso) y envés peloso o glabro.
- Folíolos con glándulas abundantes en el envés y denticulación doble.
- Sépalos con lóbulos marginales, sin glándulas en el dorso, reflejos en el fruto.
- Pedicelos sin glándulas.
- Parecida a *R. micrantha*; difiere por sus pedicelos y dorso de los sépalos sin glándulas.

Ecología

Crece en gran diversidad de hábitats de la tierra baja y media montaña.

Curiosidades

Este rosal fue descrito a finales del siglo XVIII por el botánico italiano G. Savi cuando estudiaba la flora de los alrededores de Pisa (Toscana, Italia). Crece en buena parte de Europa.

Pedicelos sin glándulas - Fornells de la Muntanya (Girona)

A. Sépalos reflejos en el fruto, con lóbulos marginales; B. Haz; C. Envés glanduloso; D. Flor - Fornells de la Muntanya (Girona)

Rosa andegavensis Bastard

 ¿Cómo identificarla?

- Hojas glabras.
- Folíolos con denticulación simple.
- Sépalos con lóbulos marginales, glandulosos en el dorso, reflejos en el fruto.
- Pedicelos glandulosos.
- Microespecie del grupo *R. canina*.
- Muy parecida a *R. blondaeana*; difiere por su denticulación simple.

 Ecología

Setos, espinares, orlas de bosque.

⭐ **Curiosidades**

Rosal descrito por el botánico francés T. Bastard en el antiguo condado de Anjou. Su epíteto hace referencia a esta región, rosal de Anjou, que en latín es *Andegavia*.

Sépalos con lóbulos marginales - Pardines (Girona)

A. Sépalos reflejos en el fruto, pedicelo glanduloso; B. Envés glabro; C. Flor;
D. Haz, denticulación simple - Pardines (Girona)

Rosa arvensis Huds.

 ## ¿Cómo identificarla?

- Hojas jóvenes pelosas; con el paso del tiempo la pilosidad se mantiene solamente en el envés del folíolo sobre el nervio medio.
- Folíolos con denticulación simple.
- Sépalos enteros, ovados, agudos o cortamente acuminados, sin glándulas en el dorso, reflejos en el fruto.
- Pedicelos sin glándulas o poco glandulosos.
- Estilos largos formando una columna, glabra.

Ecología

Sitios sombríos de montaña, orlas de bosque caducifolio; requiere de cierta humedad.

Curiosidades

Es un rosal trepador que suele encontrarse apoyado sobre otros arbustos. Solamente se encuentra en la mitad norte peninsular, y fuera de los Pirineos y de la cordillera Cantábrica es muy escaso.

Flor - Ciuret (Girona)

A. Columna estilar glabra, sépalos enteros; B. Pedicelos sin glándulas; C. Folíolos con denticulación simple - Ciuret (Girona)

Rosa blondaeana Ripart ex Déségl.

 ¿Cómo identificarla?
- Hojas glabras.
- Folíolos con denticulación doble.
- Sépalos con lóbulos marginales, generalmente glandulosos en el dorso, reflejos en el fruto.
- Pedicelos glandulosos.
- Microespecie del grupo *R. canina*.
- Muy parecida a *R. andegavensis*; difiere por su denticulación doble.

 Ecología

Setos, espinares, bordes de camino.

⭐ **Curiosidades**

Especie dedicada al clérigo y botánico francés P. Blondeau. Aunque son plantas poco frecuentes, las encontramos en gran parte de la Península. Faltan en el cuadrante suroccidental.

Pedicelos glandulosos - Arnes (Tarragona)

A. Sépalos con lóbulos marginales, reflejos en el fruto; B. Haz, denticulación doble;
C. Envés glabro; D. Flor - A/D: Güéjar Sierra (Granada) B/C: Arnes (Tarragona)

Rosa caballicensis Puget ex Déségl.

¿Cómo identificarla?

- Hojas glabras.
- Folíolos con denticulación simple.
- Sépalos con lóbulos marginales, glandulosos en el dorso, erectos o patentes en el fruto.
- Pedicelos glandulosos.
- Microespecie del grupo *R. dumalis*.
- Muy parecida a *R. acharii*, de la que difiere por su denticulación simple.

Ecología

Orlas de bosque y prados de alta montaña.

Curiosidades

El epíteto *caballicensis* hace referencia a la región del Chablais, en la Saboya francesa. Especie muy rara que en la Península solamente se conoce del Pirineo de Huesca.

Hoja - Panticosa (Huesca)

A. Haz, denticulación simple; B. Pedicelo glanduloso; C. Sépalos con lóbulos marginales; D. Envés glabro - Panticosa (Huesca)

Rosa caesia Sm.

 ¿Cómo identificarla?
- Hojas tomentosas.
- Folíolos con denticulación simple.
- Sépalos con lóbulos marginales, erectos o patentes en el fruto.
- Pedicelos o dorso de los sépalos glandulosos, o ambas cosas a la vez.
- Microespecie del grupo *R. dumalis*.
- Muy parecida a *R. coriifolia*, de la que difiere por sus pedicelos o sépalos glandulosos.

 Ecología

Setos y espinares de media montaña, orlas de pinares.

⭐ **Curiosidades**

En la Península este rosal crece en el norte de Soria y algunos autores lo han citado también del Pirineo de Lleida. El epíteto *caesia* significa azulado, probablemente por la tonalidad de sus hojas.

Sépalos con lóbulos marginales - Santa Inés (Soria)

A. Haz, denticulación simple; B. Pedicelo glanduloso; C. Sépalos erectos en el fruto; D. Envés tomentoso - Santa Inés (Soria)

Rosa canina L.

 ¿Cómo identificarla?
- Hojas glabras.
- Folíolos con denticulación simple.
- Sépalos con lóbulos marginales, sin glándulas en el dorso, reflejos en el fruto.
- Pedicelos sin glándulas.

Ecología

Gran diversidad de hábitats desde la tierra baja hasta la alta montaña.

★ **Curiosidades**

Esta especie presenta formas variadísimas, y algunos autores incluyen dicha variabilidad dentro de lo que denominamos el grupo *R. canina*. En la Península se reconocen 7 microespecies dentro de este grupo. *Rosa canina* en el sentido más estricto presenta la combinación de caracteres indicado arriba.

Flor - Bruguera (Girona)

Clave del grupo *Rosa canina*

A. Haz, denticulación simple; B. Dorso de los sépalos sin glándulas - Bruguera (Girona)

Rosa coriifolia Fr.

 ¿Cómo identificarla?
- Hojas tomentosas.
- Folíolos con denticulación simple.
- Sépalos con lóbulos marginales, sin glándulas en el dorso, erectos o patentes en el fruto.
- Pedicelos sin glándulas.
- Microespecie del grupo *R. dumalis*.
- Muy parecida a *R. caesia*, de la que difiere por sus pedicelos y dorso de los sépalos sin glándulas.

 Ecología
Prados y orlas de bosque de alta montaña.

⭐ **Curiosidades**
Este rosal se encuentra básicamente en el Pirineo. Se describió con material recolectado en las montañas del interior de Suecia.

Pedicelos y dorso de los sépalos sin glándulas - Bruguera (Girona)

A. Sépalos con lóbulos marginales; B. Haz, denticulación simple; C. Envés tomentoso; D. Flor - Bruguera (Girona)

Rosa corymbifera Borkh.

 ¿Cómo identificarla?
- Hojas tomentosas.
- Folíolos con denticulación simple.
- Sépalos con lóbulos marginales, sin glándulas en el dorso, reflejos en el fruto.
- Pedicelos sin glándulas.
- Microespecie del grupo *R. canina*.
- Muy parecida a *R. deseglisei* y *R. obtusifolia*; difiere de la primera por sus pedicelos sin glándulas, y de la segunda, por su denticulación simple.

 Ecología

Crece en gran diversidad de hábitats de la tierra baja y media montaña.

⭐ **Curiosidades**

El epíteto *corymbifera* hace referencia a la distribución de sus flores, que a menudo se agrupan en corimbos.

Pedicelos sin glándulas - Torre los Negros (Teruel)

Rosa obtusifolia Desv.

Plantas con hojas tomentosas, folíolos con denticulación doble y pedicelos sin glándulas. Se ha citado de Navarra y Tarragona pero la información disponible es muy escasa. Se requieren más estudios y recolecciones para conocer la distribución de esta rosa en la Península, así como la estabilidad de los caracteres que la definen.

Las fotos que incluimos fueron tomadas cerca de Legasa (Navarra) y son plantas que presentan los caracteres mencionados.

Rosa corymbifera

A. Envés tomentoso; B. Flor - A: Torre los Negros (Teruel) B: Ciuret (Girona)

29

Rosa deseglisei Boreau

 ¿Cómo identificarla?
- Hojas tomentosas.
- Folíolos con denticulación simple.
- Sépalos con lóbulos marginales, sin glándulas en el dorso o algunas dispersas, reflejos en el fruto.
- Pedicelos glandulosos.
- Microespecie del grupo *R. canina*.
- Muy parecida a *R. corymbifera*; difiere por sus pedicelos glandulosos.

 Ecología
Setos, espinares, orlas de pinares.

★ **Curiosidades**
Rosa en honor del botánico francés P. A. Déséglise, quien se dedicó intensamente al estudio de las rosas.

Frutos - Arnes (Tarragona)

A. Haz; B. Envés, denticulación simple, tomentoso; C. Sépalos reflejos en el fruto; D. Pedicelos glandulosos - A/B: Arnes (Tarragona) C/D: Güéjar Sierra (Granada)

Rosa dumalis Bechst.

 ¿Cómo identificarla?
- Hojas glabras.
- Folíolos con denticulación doble.
- Sépalos con lóbulos marginales, sin glándulas en el dorso, erectos o patentes en el fruto.
- Pedicelos sin glándulas.

 Ecología
Orlas de bosque de media montaña y pastos de alta montaña.

 Curiosidades
Como en el caso de *R. canina* la variabilidad de *R. dumalis* es muy notable. Para abarcar las distintas formas que se dan hablamos del grupo *R. dumalis*, que incluye 6 microespecies en la Península. *Rosa dumalis* en el sentido más estricto presenta los caracteres que arriba mencionamos.

Folíolos con denticulación doble - Somosierra (Madrid)

Clave del grupo *Rosa dumalis*

1. Hojas con indumento 2

- Hojas glabras 3

2. Pedicelos y dorso de los sépalos sin glándulas .... **R. coriifolia**

- Pedicelos o dorso de los sépalos glandulosos, o ambas cosas a la vez .... **R. caesia**

3. Pedicelos y dorso de los sépalos sin glándulas 4

- Pedicelos y dorso de los sépalos glandulosos 5

4. Denticulación simple .... **R. vosagiaca**

- Denticulación doble .... **R. dumalis**

5. Denticulación simple .... **R. caballicensis**

- Denticulación doble .... **R. acharii**

A. Flor; B. Sépalos erectos en el fruto, sin glándulas en el dorso - Somosierra (Madrid)

Rosa elliptica Tausch

 ¿Cómo identificarla?
- Hojas con el haz glabro y envés ± peloso.
- Folíolos con glándulas abundantes en el envés y denticulación doble.
- Sépalos con lóbulos marginales, sin glándulas en el dorso, erectos o patentes en el fruto.
- Pedicelos sin glándulas.
- Parecida a *R. rubiginosa*; difiere por sus pedicelos y dorso de los sépalos sin glándulas.

 Ecología
Matorrales de media montaña, orillas de arroyos, choperas.

 Curiosidades
Fuera del sistema Ibérico y del noroeste de Huesca esta rosa es muy rara en la Península.

A. Haz, denticulación doble; B. Envés glanduloso - Caminreal (Teruel)

Sépalos erectos en el fruto, sin glándulas en el dorso - Caminreal (Teruel)

Rosa foetida Herrm.

¿Cómo identificarla?

- Hojas con pelos dispersos.
- Folíolos con denticulación doble.
- Sépalos con pocos lóbulos marginales, glandulosos en el dorso, ± patentes en el fruto.
- Pedicelos generalmente sin glándulas.
- Pétalos amarillos.

Ecología

Ribazos, cunetas, sitios antropizados.

Curiosidades

Especie probablemente originaria del Cáucaso que está naturalizada en algunos puntos de la Península. El epíteto latín *foetida* (fétida) hace referencia a que sus flores desprenden una suave y ácida fragancia que puede llegar a ser desagradable. De las rosas silvestres ibéricas es la única con pétalos amarillos.

Flor - Jaca (Huesca)

A. Haz con pelos dispersos; B. Acúleos; C. Envés, denticulación doble; D. Frutos - El Burgo de Osma (Soria)

Rosa gallica L.

 ¿Cómo identificarla?
- Hojas coriáceas de haz lustroso y envés tomentoso.
- Folíolos con denticulación generalmente simple.
- Sépalos con lóbulos marginales, densamente glandulosos en el dorso, reflejos en el fruto.
- Pedicelos densamente glandulosos.
- Se diferencia bien por sus hojas discoloras y por los acúleos heterogéneos de las ramas jóvenes.

 Ecología
Setos, bordes de camino, áreas antropizadas.

 Curiosidades
Especie originaria del centro y sur de Europa (probablemente también de Anatolia y el Cáucaso). Está naturalizada en algunos puntos de la Península ya que esta rosa fue cultivada hasta finales del siglo xx por sus propiedades medicinales.

Sépalos con lóbulos marginales, reflejos en el fruto - El Burgo de Osma (Soria)

A. Acúleos heterogéneos; B. Envés tomentoso; C. Haz, denticulación simple;
D. Pedicelo y dorso de los sépalos densamente glandulosos - El Burgo de Osma (Soria)

Rosa glauca Pourr.

 ¿Cómo identificarla?
- Hojas glabras.
- Folíolos con denticulación simple, a menudo con tonos rojizos o purpúreos.
- Sépalos enteros o subenteros, estrechos, con o sin glándulas en el dorso, erectos o patentes en el fruto.
- Pedicelos generalmente sin glándulas.
- Parecida a *R. caballicensis*; difiere por sus pedicelos sin glándulas y sus sépalos casi enteros.

 Ecología
Prados y setos de alta montaña.

⭐ **Curiosidades**
Esta especie se describió con material del Pirineo a finales del siglo XVIII. Su epíteto hace referencia al color glauco de sus hojas.

Flores - Sallent de Gállego (Huesca)

A. Haz, denticulación simple; B. Envés glabro, con tonos rojizos; C. Sépalos erectos en el fruto, enteros - Sallent de Gállego (Huesca)

Rosa micrantha Borrer ex Sm.

¿Cómo identificarla?

- Hojas con el haz glabro (a veces ligeramente peloso) y envés peloso.
- Folíolos con glándulas abundantes en el envés y denticulación doble.
- Sépalos con lóbulos marginales, glandulosos en el dorso, reflejos en el fruto.
- Pedicelos glandulosos.
- Parecida a *R. agrestis*; difiere por sus pedicelos y dorso de los sépalos glandulosos.

Ecología

Crece en gran diversidad de hábitats de la tierra baja y media montaña.

Curiosidades

El rosal de flor pequeña (del latín *micrantha*, flor pequeña) es uno de los más abundantes en la Península; se encuentra en casi todas las provincias.

Sépalos reflejos en el fruto - Arnes (Tarragona)

A. Haz, denticulación doble; B. Envés glanduloso; C. Flor; D. Pedicelos glandulosos - A/B/C: Bruguera (Girona) D: Arnes (Tarragona)

Rosa moschata Herrm.

 ¿Cómo identificarla?

- Hojas jóvenes pelosas por el envés; con el paso del tiempo la pilosidad solamente se mantiene sobre el nervio medio de los folíolos.
- Folíolos con denticulación simple.
- Sépalos con lóbulos marginales, anchamente lanceolados, acuminados, con algunas glándulas en el dorso, reflejos en el fruto.
- Pedicelos glandulosos.
- Estilos largos unidos solo en la base o formando hacecillos, glabros o casi. Este carácter junto a la forma de los sépalos y la pilosidad del envés de las hojas jóvenes permite diferenciarla de *R. sempervirens*.

⭐ **Ecología**

Linderos de cultivo, eriales, áreas antropizadas.

🌲 **Curiosidades**

Es una especie asilvestrada de origen dudoso. Se cultiva por lo menos desde el siglo XVI por su aceite esencial, usado en productos de cosmética.

Hoja - Ameyugo (Burgos)

A. Haz, denticulación simple; B. Sépalos con lóbulos marginales, acuminados; C. Envés; D. Estilos largos unidos en la base - A/C/D: Escaló (Lleida) B: Cortes y Graena (Granada)

Rosa pendulina L.

♭ ¿Cómo identificarla?

- Hojas glabras.
- Folíolos con denticulación generalmente doble.
- Sépalos enteros, con o sin glándulas en el dorso, erectos o patentes en el fruto.
- Pedicelos glandulosos o no.
- Sin acúleos o con acúleos rectos en la parte inferior de las ramas.

🌲 Ecología

Prados de montaña, formaciones abiertas de coníferas y frondosas.

★ Curiosidades

Única especie peninsular no espinescente o con acúleos solo en la parte inferior de las ramas. Además, los pedicelos se arquean en la fructificación y los frutos se vuelven péndulos, tal y como indica su nombre.

Sépalos erectos - La Molina (Girona)

A. Flor; B. Sépalos enteros; C. Envés glabro; D. Haz; E. Fruto péndulo - La Molina (Girona)

Rosa pimpinellifolia L.

¿Cómo identificarla?
- Hojas glabras por el haz y envés con o sin glándulas.
- Folíolos con denticulación simple o doble.
- Sépalos enteros o con pequeños lóbulos marginales, con o sin glándulas en el dorso, erectos o patentes en el fruto.
- Pedicelos con o sin glándulas, más largos o de igual longitud que el fruto.
- Acúleos muy abundantes, heterogéneos, rectos.

Ecología
Matorrales aclarados y sitios expuestos.

Curiosidades
Según la denticulación de los folíolos y la presencia o ausencia de glándulas en el envés de los mismos se reconocen dos variedades distintas (var. *pimpinellifolia* y var. *myriacantha*).

Flor - La Molina (Girona)

A. Sépalos erectos en el fruto, enteros; B. Acúleos rectos; C. Pedicelos más largos que el fruto - La Molina (Girona)

Rosa pouzinii Tratt.

¿Cómo identificarla?

- Hojas glabras, a menudo con el envés ± glauco.
- Folíolos con glándulas en el margen y nervio medio (generalmente escasas), denticulación doble.
- Sépalos con lóbulos marginales, glandulosos en el dorso, reflejos en el fruto.
- Pedicelos glandulosos.
- Parecida al grupo de *R. canina*; difiere por sus glándulas en el margen de los folíolos y nervio medio.

Ecología

Crece en gran diversidad de hábitats de la tierra baja y media montaña.

Curiosidades

El botánico austríaco L. Trattinnick le dedicó esta rosa a un tal *monsieur* Pouzin, que encontró la planta en los alrededores de Montpellier. Crece en gran parte del Mediterráneo occidental.

Sépalos con lóbulos marginales, reflejos en el fruto - Arnes (Tarragona)

A. Margen y nervio medio de los folíolos glandulosos; B. Pedicelo glanduloso; C. Haz, denticulación doble; D. Hoja glabra - Arnes (Tarragona)

Rosa rubiginosa L.

¿Cómo identificarla?

- Hojas con el haz glabro y envés ± peloso.
- Folíolos con glándulas abundantes en el envés y denticulación doble.
- Sépalos con lóbulos marginales, glandulosos en el dorso, erectos o patentes en el fruto.
- Pedicelos glandulosos.
- Parecida a *R. elliptica*; difiere por sus pedicelos y dorso de los sépalos glandulosos.

Ecología

Pastos y matorrales de media y alta montaña.

Curiosidades

Carlos Linneo nombró esta especie *rubiginosa* (oxidada, herrumbrosa) por el envés rojizo de sus hojas. Sin embargo, es un carácter muy variable y que no sirve para diferenciarla de otras especies.

Sépalos patentes en el fruto - Cercedilla (Madrid)

A. Haz, denticulación doble; B. Pedicelo y dorso de los sépalos glandulosos;
C. Sépalos con lóbulos marginales; D. Envés glanduloso - Cercedilla (Madrid)

Rosa sempervirens L.

¿Cómo identificarla?

- Hojas glabras, lustrosas.
- Folíolos con denticulación simple.
- Sépalos enteros o subenteros, ovados, agudos o cortamente acuminados, glandulosos en el dorso, reflejos en el fruto.
- Pedicelos glandulosos.
- Estilos largos formando una columna pelosa.

Ecología

Matorrales, riberas, orlas de encinares; preferencia por las regiones litorales.

Curiosidades

Tal y como indica su epíteto, este rosal mantiene las hojas durante todo el año. Junto con *R. moschata*, es la única especie silvestre ibérica con hojas perennes.

Hoja glabra, lustrosa - Arnes (Tarragona)

Estilos largos formando una columna, pelosa; pedicelos glandulosos - Arnes (Tarragona)

Rosa sicula Tratt.

¿Cómo identificarla?

- Hojas con el haz ± glabro y envés ± peloso.
- Folíolos con glándulas abundantes en el envés y denticulación doble.
- Sépalos con pequeños lóbulos marginales, glandulosos en el dorso, erectos en el fruto.
- Pedicelos glandulosos.
- Planta humilde caracterizada por sus pedicelos más cortos que los frutos.

Ecología

Matorrales aclarados, laderas expuestas y soleadas.

Curiosidades

El material original que se usó para describir esta rosa procedía de Sicilia, donde también crece esta especie. De ahí el epíteto *sicula*, cuyo significado es «de o perteneciente a Sicilia».

Sépalos erectos en el fruto - Riba de Saelices (Guadalajara)

A. Sépalos glandulosos en el dorso; B. Envés glanduloso; C. Haz, denticulación doble; D. Acúleos - Riba de Saelices (Guadalajara)

Rosa squarrosa (A. Rau) Boreau

¿Cómo identificarla?

- Hojas glabras.
- Folíolos con denticulación doble.
- Sépalos con lóbulos marginales, sin glándulas en el dorso, reflejos en el fruto.
- Pedicelos sin glándulas.
- Microespecie del grupo *R. canina*.
- Muy parecida a *R. andegavensis* y *R. blondaeana*, de las que difiere por sus pedicelos sin glándulas.

Ecología

Crece en gran diversidad de hábitats de la tierra baja y media montaña.

Curiosidades

Es uno de los rosales más abundantes dentro del grupo *R. canina*. Se encuentra sobre todo en la mitad norte peninsular.

Sépalos reflejos en el fruto - Legasa (Navarra)

A. Haz; B. Envés, denticulación doble, glabro; C. Pedicelos sin glándulas -
A/B: Legasa (Navarra) C: La Mata de los Olmos (Teruel)

Rosa stylosa Desv.

¿Cómo identificarla?

- Hojas glabras, excepto el nervio medio del envés de los folíolos que es peloso.
- Folíolos con denticulación doble.
- Sépalos con lóbulos marginales, sin glándulas en el dorso, reflejos en el fruto.
- Pedicelos sin glándulas.
- Estilos largos formando una columna, glabra o pelosa.

Ecología

Setos y matorrales de media montaña.

Curiosidades

El nombre de esta rosa hace referencia a sus estilos, característicos por ser largos y formar una columna conspicua.

Sépalos con lóbulos marginales, reflejos en el fruto - Legasa (Navarra)

A. Haz; B. Estilos largos formando una columna; C. Envés, denticulación doble - Legasa (Navarra)

Rosa tomentosa Sm.

¿Cómo identificarla?

- Hojas tomentosas, más densamente en el envés.
- Folíolos con algunas glándulas en el envés y denticulación generalmente doble.
- Sépalos con lóbulos marginales, glandulosos en el dorso, patentes o reflejos en el fruto.
- Pedicelos glandulosos, generalmente más largos o igual que el fruto.
- Muy parecida a *R. villosa*; difiere por sus sépalos con lóbulos marginales, patentes o reflejos en el fruto.

Ecología

Setos y espinares de media y alta montaña.

Curiosidades

Se distribuye por las montañas de la mitad norte peninsular. Cuando convive junto a *R. villosa* se encuentran individuos difíciles de asignar a una u otra especie por sus caracteres intermedios resultado de la hibridación.

Flor y frutos con sépalos patentes - Bruguera (Girona)

A. Haz; B. Pedicelo y dorso de los sépalos glandulosos; C. Sépalos con lóbulos marginales; D. Envés tomentoso; E. Flor - La Molina (Girona)

Rosa villosa L.

¿Cómo identificarla?

- Hojas tomentosas, más densamente en el envés.
- Folíolos con glándulas en el envés y denticulación generalmente doble.
- Sépalos subenteros o con escasos lóbulos marginales, glandulosos en el dorso, erectos en el fruto.
- Pedicelos con abundantes glándulas, generalmente más cortos que el fruto.
- Muy parecida a *R. tomentosa*; difiere por sus sépalos subenteros claramente erectos en la fructificación.

Ecología

Setos y pastos de media y alta montaña.

Curiosidades

Especie descrita por el botánico sueco C. Linneo en el año 1753. Su nombre alude a la pilosidad de sus hojas (*villosa*: que tiene vello).

Flor - La Molina (Girona)

A. Haz; B. Sépalos glandulosos en el dorso, con escasos lóbulos marginales; C. Sépalos erectos en el fruto; D. Envés tomentoso - La Molina (Girona)

Rosa vosagiaca N.H.F. Desp.

¿Cómo identificarla?

- Hojas glabras.
- Folíolos con denticulación simple.
- Sépalos con lóbulos marginales, sin glándulas en el dorso, erectos o patentes en el fruto.
- Pedicelos sin glándulas.
- Microespecie del grupo *R. dumalis*.
- Muy parecida a *R. acharii* y *R. caballicensis*, de las que difiere por sus pedicelos y dorso de los sépalos sin glándulas.

Ecología

Prados y setos de alta montaña.

Curiosidades

Dentro del grupo *R. dumalis*, este rosal es el más abundante. No es difícil encontrarlo en la cordillera Cantábrica y el Pirineo. Su nombre significa «rosal de los Vosgos» (*des Vosges* en francés), sistema montañoso del noreste de Francia.

Flores - Collada de Toses (Girona)

Sépalos patentes en el fruto; pedicelo sin glándulas - Vallter (Girona)

Glosario

Acícula: aguijón fino no punzante.

Acúleo: formación epidérmica rígida y punzante; sinónimo de aguijón.

Acuminado: que gradualmente termina en una punta larga.

Antropizado: medio transformado por el ser humano.

Araneoso: indumento formado de pelos largos y finos que recuerda a una telaraña.

Carácter: atributo, propiedad o particularidad de un organismo susceptible de evaluarse.

Concolor: con el haz y el envés de las hojas del mismo color.

Coriáceo: con una consistencia similar al cuero.

Corimbo: inflorescencia en la que las flores salen de distintos puntos del eje y llegan a la misma altura.

Decumbente: con los tallos rastreros, tendidos sobre el suelo.

Discolor: con el haz y el envés de las hojas de distinto color.

Entero: que tiene los bordes lisos, carente de dientes u otro tipo de división.

Envés: cara inferior de la hoja.

Epíteto: en la nomenclatura binomial, segundo término del nombre científico de una especie (en *Rosa gallica*, el epíteto es *gallica*).

Erecto: que presenta disposición más o menos vertical.

Espinar: sitio poblado de plantas con espinas, popularmente conocidas como espinos y que generalmente pertenecen a la familia de las rosáceas.

Estilo: estructura de la parte femenina de las flores que conduce los granos de polen desde el órgano receptor (estigma) al ovario; ilustrado en la página 6.

Estolón: brote lateral que nace de la base de los tallos y que enraíza generando nuevos individuos, bien sea por encima del suelo o subterráneo.

Folíolo: cada una de las láminas foliares que forman una hoja compuesta; ilustrado en la página 6.

Glabro: que no tiene pelos.

Haz: cara superior de la hoja.

Lámina: porción más o menos aplanada de una hoja que se une al tallo directamente o por medio de un pecíolo (rabillo de la hoja); sinónimo de limbo foliar.

Lanceolado: que tiene forma de lanza, estrechándose en los extremos.

Microespecie: entidad biológica con muy poca variabilidad generada por mutaciones o hibridaciones y cuya reproducción es predominantemente asexual.

Obovado: con forma de huevo invertido (con la parte más ancha en la mitad superior).

Orla: margen (borde) de una formación vegetal.

Patente: formando un ángulo más o menos recto con la vertical.

Pedicelo: rabillo que sostiene la flor y el fruto.

Reflejo: dirigido hacia la base; en contraposición a erecto.

Sépalo: cada una de las piezas que componen el cáliz; ilustrado en la página 6.

Subentero: con el margen casi entero.

Tomentoso: cubierto de pelos.

Índice

Agradecimientos

Las fotos de *Rosa sicula*, **R. dumalis** y el detalle de la flor de **R. foetida** han sido amablemente cedidas por Carlos Aedo, Juan Carlos Zamora y Manuel Bernal respectivamente. Rodolf Casas es el autor de la foto de la portada y de las secciones.

Carlos Aedo, Hugues-Olivier Blouin, Miriam Espelleta, Geoffrey Hall, Hugh Harkin, Leopoldo Medina, Gabriel Páez de la Cadena y Diane Ross han colaborado en las espinosas tareas de revisión. ¡Muchas gracias!